El mono azul

Graciela Sverdlick

Ilustraciones de Omar Garza & Pangea Producciones

PROGRESO
EDITORIAL ®

Respete el derecho de autor.
No fotocopie esta obra.
CeMPro

Teléfono: 1946-0620
Fax: 1946-0655
e-mail: a_literatura@editorialprogreso.com.mx
e-mail: servicioalcliente@editorialprogreso.com.mx

Desarrollo editorial: Víctor Guzmán Zúñiga
Dirección editorial: Yolanda Tapia Felipe
Coordinación de la colección Rehilete: Marisela Aguilar Salas
Edición: Ariel Hernández Sánchez
Coordinación de diseño: Rigoberto Rosales Alva
Diseño: María del Rosario García Segundo
Ilustración: Omar Garza & Pangea Producción
Staff editorial: Rosaura González Urbina
                 Martha Alcántara Rivera
                 Alvaro Rosas Montalvo
                 Fernando Méndez Díaz

Derechos reservados:
© 2006 Graciela Sverdlick
© 2006 EDITORIAL PROGRESO, S. A. DE C. V.
         Naranjo No. 248, Col. Santa María la Ribera
         Delegación Cuauhtémoc, C. P. 06400
         México, D. F.

El mono azul
(Colección Rehilete)

Miembro de la Cámara Nacional de la Industria Editorial Mexicana
Registro No. 232

ISBN: 978-970-641-837-1 *(Colección Rehilete)*
ISBN: 978-970-641-734-3

Impreso en México
Printed in Mexico

1ª edición: 2006
2ª reimpresión: 2010

A Lauri,
a Fede,
a Ju,
a disfrutar de la vida.

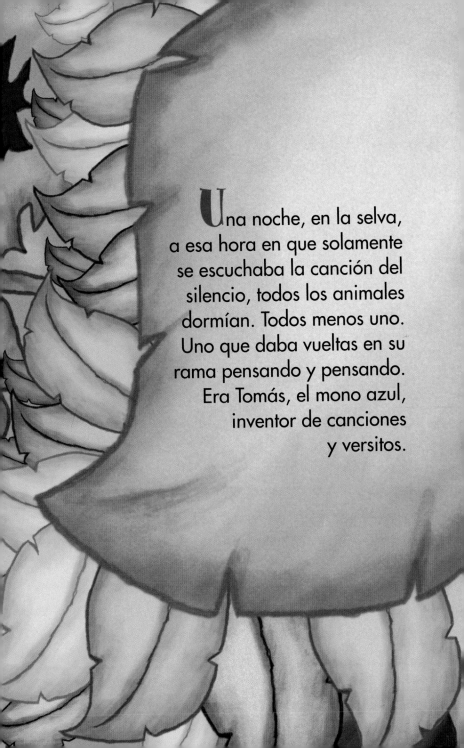

Una noche, en la selva,
a esa hora en que solamente
se escuchaba la canción del
silencio, todos los animales
dormían. Todos menos uno.
Uno que daba vueltas en su
rama pensando y pensando.
Era Tomás, el mono azul,
inventor de canciones
y versitos.

Y estaba despierto no porque durmiera
mucha siesta, ni porque se quedara
contando estrellas ni porque se le fuera
el sueño jugando a armar torres con hojas
secas. No. El mono azul estaba despierto
porque no podía dormir. Y no podía
dormir porque le resultaba imposible
parar de pensar.

Estaba desesperado.
No sabía qué hacer para
que Esmeralda, la mona verde,
le hiciera un poquitito de caso,
una miradita, media sonrisa.

Así que esa noche Tomás
pensaba ideas, miles de ideas.
Tantas que se tapaban unas
a otras, se enredaban, se
confundían y terminaban
siendo ridículas.

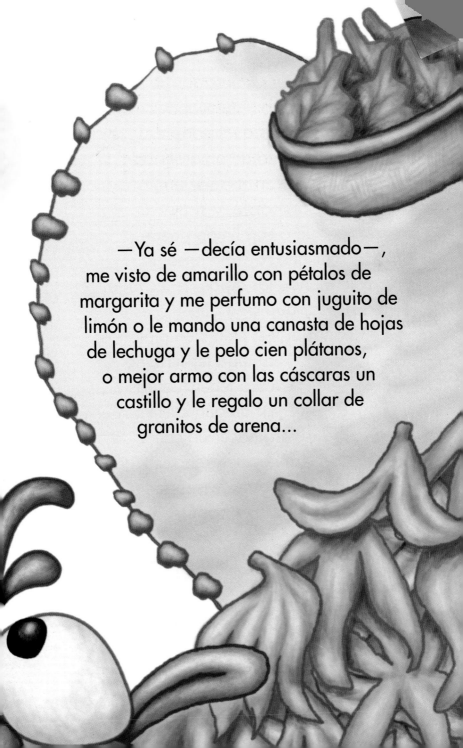

—Ya sé —decía entusiasmado—,
me visto de amarillo con pétalos de
margarita y me perfumo con juguito de
limón o le mando una canasta de hojas
de lechuga y le pelo cien plátanos,
o mejor armo con las cáscaras un
castillo y le regalo un collar de
granitos de arena...

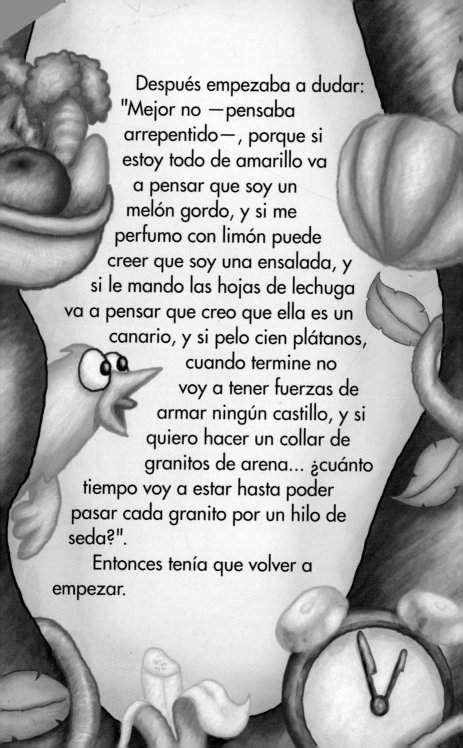

Después empezaba a dudar: "Mejor no —pensaba arrepentido—, porque si estoy todo de amarillo va a pensar que soy un melón gordo, y si me perfumo con limón puede creer que soy una ensalada, y si le mando las hojas de lechuga va a pensar que creo que ella es un canario, y si pelo cien plátanos, cuando termine no voy a tener fuerzas de armar ningún castillo, y si quiero hacer un collar de granitos de arena... ¿cuánto tiempo voy a estar hasta poder pasar cada granito por un hilo de seda?".

Entonces tenía que volver a empezar.

Cuando ya casi se le habían cerrado los ojos por el sueño, creyó encontrar la fórmula para que la mona verde se fijara en él.

—¡Ya sé! —dijo con entusiasmo nuevo—. Para que Esmeralda me quiera tengo que demostrarle que puedo hacer cosas maravillosas, asombrosas, inexplicables, fabulosas, bestiales, impresionantes.

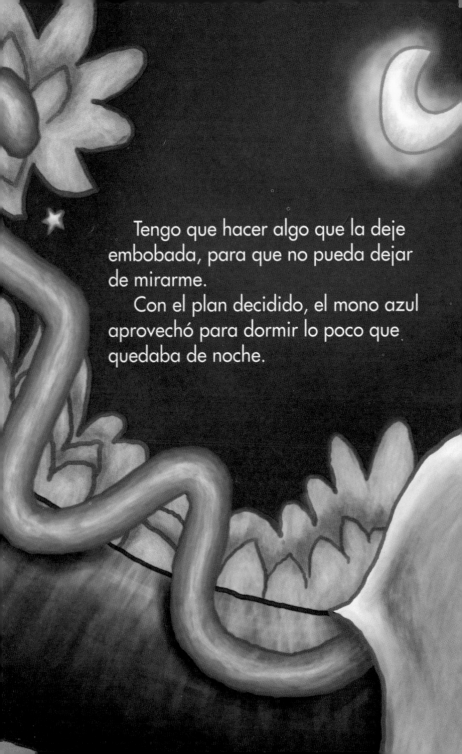

Tengo que hacer algo que la deje embobada, para que no pueda dejar de mirarme.

Con el plan decidido, el mono azul aprovechó para dormir lo poco que quedaba de noche.

Al día siguiente, bien temprano, Tomás se paró frente a Esmeralda y en tres saltos trepó hasta la última rama del árbol más alto de la selva.

Pero la mona verde, ni mu. Siguió
desayunando su licuado de plátano
sin siquiera darse cuenta de lo que
Tomás había hecho.

El mono azul bajó del árbol despacito porque la altura lo mareaba un poco, y pensó que al mediodía volvería a probar suerte. Esa vez sí, Esmeralda iba a deslumbrarse.

Cuando llegó la hora del almuerzo, todos los monos fueron a buscar frutas. Tomás llevó una canasta casi tan grande como él mismo y la llenó con una montaña altísima de frutas de todas clases. La canasta desbordaba peras, plátanos, uvas, mandarinas, naranjas, melones, sandías, cocos... La puso sobre su cabeza y se paró a la vista de la mona verde. Hacía un esfuerzo terrible para sostener semejante canasta sin que se le cayera todo en avalancha.

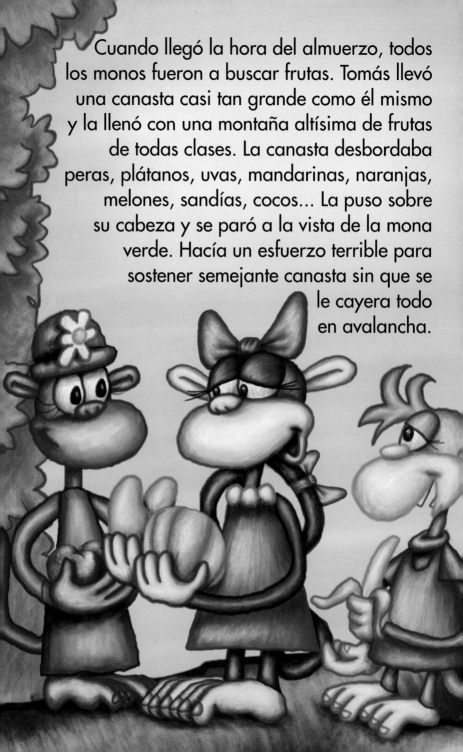

Pero el esfuerzo fue inútil. Esmeralda
le dio la espalda y siguió juntando frutas
con sus amigas sin prestar atención
al mono azul.

Tomás hizo un desparramo con su
montaña de frutas, y lo único que consiguió
fue preparar una ensalada
para veinte días.

—Esto no funcionó —se dijo el mono—, pero voy a intentarlo de nuevo. Tengo que demostrarle a Esmeralda que puedo hacer cosas maravillosas.

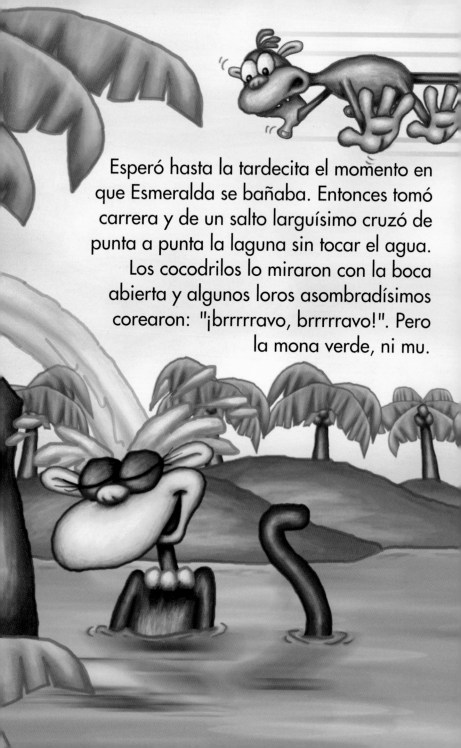

Esperó hasta la tardecita el momento en que Esmeralda se bañaba. Entonces tomó carrera y de un salto larguísimo cruzó de punta a punta la laguna sin tocar el agua. Los cocodrilos lo miraron con la boca abierta y algunos loros asombradísimos corearon: "¡brrrrravo, brrrrravo!". Pero la mona verde, ni mu.

Tomás se quedó sentado en la otra
orilla mirando cómo Esmeralda seguía
enjabonándose con leche de coco y
canturreando bajito sin darse cuenta de
la prueba fenomenal que había hecho.

—No hay caso, todo me sale mal —dijo
el mono triste, cansado y haciendo pucheros.

Tomás fue hasta su árbol, se puso la piyama y se acostó en una rama. Sabía que esa noche tampoco iba a poder dormir.

Dio vueltas y vueltas y tantas vueltas
que el abuelo mono fue a ver qué pasaba
porque desde lejos le parecía que el árbol se
había convertido en carrusel. El mono azul le
dio un besito a su abuelo y le contó su pena.

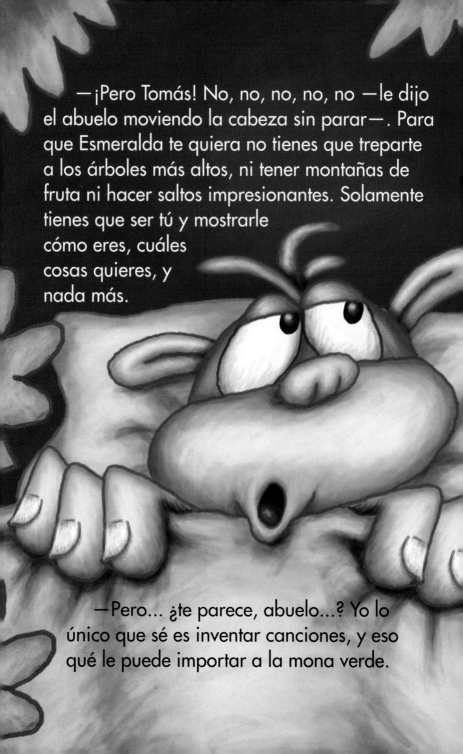

—¡Pero Tomás! No, no, no, no, no —le dijo
el abuelo moviendo la cabeza sin parar—. Para
que Esmeralda te quiera no tienes que treparte
a los árboles más altos, ni tener montañas de
fruta ni hacer saltos impresionantes. Solamente
tienes que ser tú y mostrarle
cómo eres, cuáles
cosas quieres, y
nada más.

—Pero… ¿te parece, abuelo…? Yo lo
único que sé es inventar canciones, y eso
qué le puede importar a la mona verde.

El abuelo miró muy serio a Tomás y
le dijo:
    —Vale más una canción que un
monito fanfarrón.
    Y se fue nomás, dejando al mono
azul pensando en sus palabras.

A la mañana siguiente, Tomás
se despertó y bajó de la rama para
desayunar. Lo primero que vio fue
a Esmeralda, que estaba juntando
margaritas. Tenía un ramo tan grande
y amarillo que daba la impresión
de que estaba abrazando un sol.

La mona verde se agachó, se tropezó con una piedra y cayó desparramándose junto a las flores. Tomás salió corriendo, y mientras la ayudaba a levantarse le cantó:

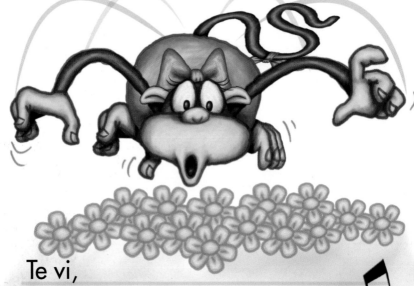

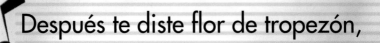

Te vi,
¡juntabas margaritas por ahí...

Después te diste flor de tropezón,

me dolió a mí mismo el corazón.

Yo te quiero un montón.

La mona verde
escuchó esa canción y
se quedó mirando a Tomás
totalmente embobada, impre-
sionada, acatarrada y enamorada.
—¡Qué canción más hermosa…!
Nunca nadie inventó algo así para mí.
—¿De verdad te gustó? —dijo el mono.

—¡Claro que me gustó!
Y quiero que me invites
a cenar; así podríamos charlar
un rato y me inventarías canciones
nuevas. ¿Te gusta mi idea?
El mono azul no podía creer lo
que estaba escuchando. La mismísima
Esmeralda estaba ahí, enfrente suyo, y
le proponía todo eso. Era un sueño.

Esa noche, Tomás y Esmeralda
cenaron juntos. Cocinaron arroz con
sopa; de postre, plátano pisado
con dulce de leche; y de golosina,
platanito con chocolate.

Después de la comida
se quedaron mirando
la Luna; mientras, Tomás
le cantaba suavecito:

¡Ay, qué rica fue la cena,

el arroz y la banana!

Yo te canto esta canción

porque se me da la gana.

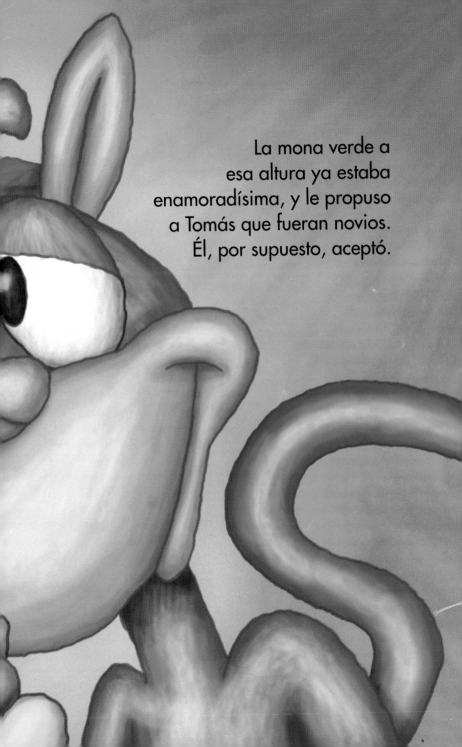

La mona verde a
esa altura ya estaba
enamoradísima, y le propuso
a Tomás que fueran novios.
Él, por supuesto, aceptó.

Y si de todo esto algo
aprendió, fue que el abuelo
mono tenía toda la razón:
"Vale más una canción
que un monito fanfarrón".

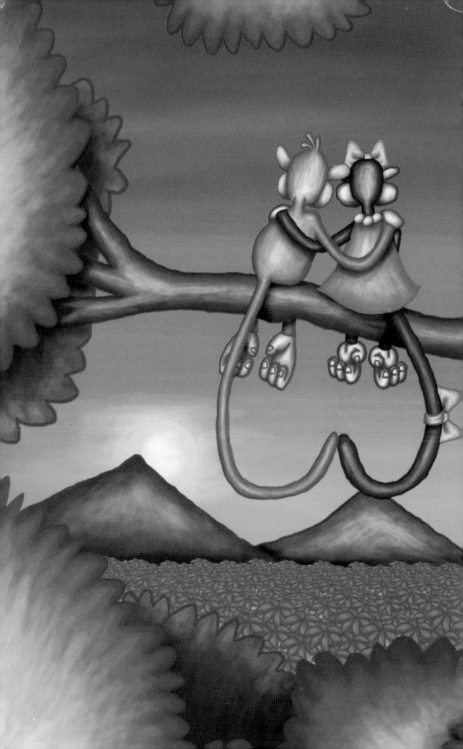

Se terminó la impresión de esta obra en agosto de 2010
en los talleres de Editorial Progreso, S. A. de C. V.
Naranjo No. 248, Col. Santa María la Ribera
Delegación Cuauhtémoc, C. P. 06400, México, D. F.